Nerja

Texte : **José Manuel Real Pascual**

Photographies, diagramme et reproduction entièrement
conçus et réalisés par les équipes techniques
d'**EDITORIAL FISA ESCUDO DE ORO S.A.**

ESCUDO DE ORO

NERJA

NERJA

Nerja se trouve dans la partie la plus orientale de la province de Malaga. Elle limite à l'ouest avec Torrox et Frigiliana, au nord avec Cómpeta et à l'est avec la province de Grenade (en grande partie avec la commune d'Almuñécar) et au sud avec la mer Méditerranée. C'est donc la zone la plus orientale de la Costa del Sol et de la région de La Axarquía. Sa voie principale de communication est la A-7 qui la relie à Malaga (à 52 Km) et à la côte grenadine.

Avec ses 16 500 habitants, Nerja est la plus grande ville touristique de la Costa del Sol orientale et la deuxième de La Axarquía après Vélez-Malaga qui se trouve à 25 km.

Nerja a une côte vraiment fabuleuse qui est son plus grand attrait. Contrairement aux autres zones de la Costa del Sol, ici la montagne vient caresser la mer en formant de majestueuses falaises qui donnent naissance à de pittoresques criques et de belles plages. Au fur et à mesure que nous nous rendons vers le Levant, les falaises sont plus fréquentes et plus hautes. Depuis le Balcon d'Europe, en allant vers Torrox, nous trouverons les plages suivantes: la Caletilla, Plage del Salón, la Torrecilla et le Playazo (de deux kilomètres de longueur). Vers l'est et jusqu'à la limite de la province de Grenade: Calahonda, Plage del Chorrillo, Plages del Carabeo et du Carabeíllo, Burriana, des plages et des criques de germandrée, Plage des Alberguillas et Cantarriján. Ces criques et ces falaises ont une beauté qui attire les campeurs et les amateurs de sports nautiques ainsi que les nudistes. Afin de préserver le paysage de la dégrada-

Uue aérienne de la ville.

Plage de la Torrecilla.

tion qu'une affluence massive pourrait entraîner et d'en assurer la conservation, les autorités ont imposé une série de limitations car la zone a été déclarée Parage Naturel.

Nerja se trouve dans une plaine entourée de hauts sommets appartenant aux derniers contreforts de la sierra Almijara. Nommons les sommets qui se trouvent dans la commune: El Alto del Cielo, l'Almendrón, la Cabeza del Caballo, la Atalaya, les Lomas Llanas et Navachica. Ce dernier sommet, de 1832 mètres d'altitude, est le point le plus élevé de la commune et sert de frontière avec la province de Grenade.

Nerja possède de nombreuses sources qui forment des ruisseaux et de petits torrents. Cette condition devait exister aussi autrefois, il y a très longtemps, car le nom de la ville durant la domination arabe était Narixa, ce qui veut dire "source abondante". Le Chillar, dont les eaux ont été auparavant grossies par celles du Higuerón et du Río Seco, à son embouchure à l'ouest de Nerja. Sur le versant oriental, nous trouverons l'embouchure du Maro qui forme le Ravin de la Coladilla et celle de la rivière de La Miel.

Le climat de Nerja est méditerranéen. Il faut ajouter aux caractéristiques bénignes de ces climats, quelques particularités qui font que Nerja puisse profiter d'un climat privilégié: les montagnes qui l'entourent la protègent des froids qui viennent du nord et l'influence de la mer adoucit les températures aussi bien en hiver qu'en été.

Plage de El Playazo.
Les cultures tropicales arrivent jusqu'au bord de l'eau.

Plage de Calahonda.

Cette climatologie et l'abondance d'eau ont favorisé une importante production agricole depuis plus de mille ans. On y introduisit alors des fruits subtropicaux tels la canne à sucre et le corossol et ces cultures ont été complétées actuellement avec des fruits exotiques tels la papaye, la mangue et l'avocat. On y cultive aussi des primeurs et surtout la patate douce et les traditionnelles cultures méditerranéennes: vigne, amandiers et oliviers.

La pêche est un autre des secteurs économiques importants mais le plus important de tous, la plus grande richesse de Nerja est le tourisme. Le climat doux,

Descente à la plage de Calahonda.

Plage de la Caletilla.   **Uues aérienne du Balcon d'Europe.**

la beauté de la côte et les éléments de grand intérêt touristique tels la grotte de Nerja, s'ajoutent à l'hospitalité des habitants de la ville et à une série d'infrastructures qui permettent au visiteur de profiter des commodités et des loisirs nécessaires pour passer de bonnes vacances et donc de faire de Nerja son lieu favori de repos. Ces installations ont le double avantage d'avoir respecté le caractère urbain en s'intégrant dans la structure traditionnellement andalouse de la ville tout en protégeant l'environnement naturel. L'affluence de touristes élève à 45 000 le nombre d'habitants de Nerja en été.

Les hôtels couvrent une gamme très large qui comprend toutes les catégories. Il y a aussi de nombreux bars, restaurants et cafétérias et l'offre va d'une vieille cave andalouse à des restaurants de cuisine internationale en passant par le "chiringuito", guinguette situé au bord de l'eau et dans laquelle on peut surtout déguster du "pescaíto frito" (petits poissons frits) et d'autres mets de la cuisine de Malaga.

Nerja possède aussi un Parador Nacional (Auberge d'Etat) de Tourisme qui se trouve dans un parage privilégié de la côte, presque au-dessus de la belle plage de Burriana. Il couronne l'offre hôtelière de Nerja.

La caractéristique touristique la plus particulière de Nerja est peut-être le grand nombre de lotissements que l'on y trouve, témoignage de la stabilité du touriste qui a choisi d'en faire son havre de

Le Balcon d'Europe vu depuis la plage de la Caletilla.

paix. Ces lotissements sont éparpillés dans la commune. Le plus connu est, sans aucun doute, celui de Capistrano, avec sa structure de village andalou qui se conjugue parfaitement avec les derniers éléments actuels de loisir et de confort.

L'excellent panorama touristique de Nerja se verra bientôt complété par la présence d'un port de plaisance, Puerto Europe, à l'ouest de la ville. L'ouverture de la voie rapide Malaga-Nerja a donné un coup de pouce à son essor. Le tronçon vers Almúñecar est actuellement en construction.

Le centre urbain de Nerja conserve le style traditionnel d'un village andalou. Dans de nombreuses villes touristiques, le développement économique et l'adaptation de la zone à l'affluence de visiteurs ont transformé les maisons et les rues, souvent d'une façon négative. Nerja par contre a non seulement conservé son ancienne structure mais a su adapter les nouvelles constructions aux traditionnelles structures andalouses: murs blanchis à la chaux, fenêtres grillagées, toits à deux versants, etc.

Bien que la structure urbaine laisse entrevoir l'influence maure dans ses formes, la construction de la ville est relativement récente car, fin 1884, un puissant tremblement de terre détruisit la ville et d'autres endroits de La Axarquía. Ses rues, longues et sinueuses semblent aller à la recherche de la mer: rue Cristo, rue Pintada, Paseo Nuevo ou rue Granada.

Plage de Burriana.
Une belle palmeraie borde le boulevard du Balcon d'Europe.

Deux images du Balcon d'Europe.

Le centre névralgique de Nerja est le Balcon d'Europe, lieu de promenade choisi aussi bien par les autochtones que par les touristes. Le boulevard, bordé à gauche par de belles arcades et à droite par des hôtels, des bars et des restaurants, s'achève en un belvédère en demi cercle posé sur une falaise et depuis lequel on pourra se remplir les yeux de vues incroyables de la Méditerranée et des montagnes qui entourent Nerja. Les crépuscules du Balcon d'Europe sont inoubliables. Palmiers et bananiers orientaux ornent le Paseo dont l'image est enrichie par deux vieux canons qui

Vue magnifique du Balcon d'Europe vu depuis la plage de Calahonda.

Plage de Calahonda.

Balcon d'Europe.
Coucher de soleil sur le Balcon d'Europe.

NEX CONTINENTAL H.
CIF: B85146363

Factura Simplificada: 203-2-2540-925842
Servicio de transporte de viajeros
por carretera entre:

Origen:
NERJA

Destino:
PTO MALAGA

Fecha de salida: | Hora de salida:
OPEN

Bus: | Asiento:

Tipo de servicio:
Normal

Base Imponible: 3,33 | Precio (IVA incluido):
Cuota al 10,00%: 0,33 | 3,66

Linea:
CUEVAS DE NERJA — MALAGA

Localizador: 1sq8nh

Tipo de tarifa: Tarifa de vuelta
Nº de Billete: 203-2-2540-925842
Fecha ida: 26/03/2015
Fecha emisión: 26/03/2015 10:50

---------------control empresa---------------

O/D: NERJA/PTO MALAGA
Bus/Asiento/Loc: -/-/1sq8nh

ALSA

alsa.es 902 42 22 42 app

ALSA

alsa.es 902 42 22 42 app

Boulevard du Balcon d'Europe.

rappellent qu'il y eut ici, jusqu'en 1812, une forteresse juchée sur la falaise. Le belvédère abrite une belle statue du roi Alphonse XII. L'autre extrémité du belvédère se tourne vers la gauche afin de s'ouvrir sur une place présidée par l'église paroissiale El Salvador.

Entre la plage de Calahonda et celle du Carabeo s'étale un beau paysage naturel, parmi les rochers et longeant la mer, qui reçoit le nom de Paseo de los Carabineros. Vers l'est se trouvent les jardins d'Europe qui étirent paresseusement leur beauté jusqu'à la plage de Burriana.

Le plus ancien passé de Nerja remonte à la préhistoire. On a trouvé des vestiges de l'époque paléolithique, de plus de 30 000 ans à la Grotte de Nerja. Il y a

Arcades au Balcon d'Europe.

aussi des restes néolithiques et des âges du Cuivre, du Bronze et du Fer. Et il y a aussi des témoignages irréfutables de la colonisation romaine. Près de Maro se trouvait la colonie romaine de Detunda qui nous a légué des sépulcres, des amphores et des pièces de monnaie. On a trouvé des vestiges de la chaussée romaine Castulo-Malaca sur les terrains de la commune. Cette voie reliait les provinces de Jaén et Almería et, à partir de là, en suivant la côte, on pouvait arriver à la ville de Malaga. Il s'agit de deux fragments de chaussée et des vestiges d'un pont romain qui ont été découverts près des ruines d'une ancienne manufacture sucrière située à cent mètres à peu près du lotissement El Capistrano.

Boulevard du Balcon d'Europe.
Sculpture du roi Alphonse XII, au belvédère du Balcon d'Europe.

La longue plage de Burriana.　　　　　　　　　　　　　**Plage de Calahonda.**

L'origine de la ville remonte à l'époque musulmane. Elle s'appelait alors Narixa (connue aussi sous le nom de Naricha ou Narija), ce qui veut dire "source abondante". Elle ne se trouvait pas sur le même emplacement que celui qu'elle occupe aujourd'hui mais était située un peu plus à l'intérieur du pays. On a trouvé des ruines de cette colonie et d'une forteresse sur le chemin de Frigiliana. Les arabes avaient une autre forteresse sur la côte, concrètement sur la falaise occupée actuellement par le Balcon d'Europe.

A partir du Xe siècle, Narixa connut une grande prospérité économique grâce aux produits de la terre et à la fabrication de tissus de soie qui furent connus sur les marchés de Damas.

A cette époque elle appartenait à la province ou "cora" (division territoriale arabe) de Rayya ainsi que la ville de Malaga. Deux témoignages du Xe siècle nous parlent de Narixa. Un est de l'historien Almacarri de Tremecen et l'autre du géographe Ibn Saadi qui écrivit quelques vers sur cette ville musulmane (recueillis par l'historien Vázquez Otero):

"Allongé sur des tapis aux magiques couleurs / alors que le doux sommeil fermait mes paupières / Naricha, ma Naricha, surgissant entre les fleurs / avec toutes ses beautés, réjouissait mon regard".

Elle fut conquise sans résistance en 1487 par les Rois Catholiques et conserva ainsi sa population maure.

Vue nocturne de Capistrano-playa.

Durant le XVIe siècle, Nerja souffrit d'importants dépeuplements pour des raisons diverses. Nous signalerons les effets de la révolte maure de 1568 et, surtout, l'expulsion définitive des maures en 1609. Elle fut ensuite repeuplée par ceux que l'on appelait les "vieux chrétiens".

En 1509 le château de la falaise fut reconstruit. C'est à partir d'alors que les terrains actuels de Nerja se peuplèrent, tout autour de cette forteresse et sur la côte. En 1571 on construisit un autre château sur la plage de Torrecilla. Celui-ci et celui de la falaise du Balcon d'Europe ainsi que les tours crénelées formaient le système de défense. Dès la fin du XVIe siècle une étape de croissance économique commence avec les plantations de canne à sucre et l'établissement de sucreries.

En 1808 commença l'invasion des troupes françaises de Napoléon. Nerja vécut aussi des épisodes de la Guerre d'Indépendance, postérieure. C'est ainsi qu'en 1812, la marine anglaise, alliée aux troupes espagnoles, détruisit les forteresses de la Torrecilla et du Balcon d'Europe afin d'empêcher que celles-ci ne passent aux mains des troupes françaises. Deux événements désagréables eurent lieu à la fin du XIXe siècle. Le premier eut lieu à la fin de 1875: une épidémie de phylloxéra qui attaqua et détruisit presque toutes les vignes, ce qui eut des répercussions économiques importantes.

Le 25 décembre 1884 Nerja souffrit les effets d'un tremblement de terre qui

Deux détails de El Capistrano.

s'étendit sur les provinces de Malaga et de Grenade. Il détruisit une grande partie de la ville bien qu'il n'y eût qu'une seule victime, concrètement le carabinier Berrocal. Le roi Alphonse XII se déplaça alors aux zones affectées et arriva à Nerja le 20 janvier de l'année suivante, accompagné de ses ministres Quesada et Romero Robledo. Après avoir parcouru les rues sinistrées de la ville, le monarque arriva au belvédère. Il fut tellement impressionné par sa beauté qu'il proposa de le baptiser Balcon d'Europe, nom sous lequel il est connu mondialement. Il est vrai qu'il était déjà surnommé ainsi bien avant. Commençons notre parcours monumental à travers la ville de Nerja aux tours crénelées. Ces tours de garde furent construites pour faire face aux incursions des pirates qui venaient des côtes africaines. Au moyen de signaux de feu, ils transmettaient des messages d'une tour à l'autre, avertissant ainsi des dangers possibles. Cinq tours crénelées bordent la côte d'ouest à est: Torrecilla, la Tour de Maro, la Tour du Río de la Miel, la Tour del Pino et la Tour du Cañuelo. Les unes sont d'origine nasrides et les autres construites durant l'époque castillane.

Dans Nerja nous trouverons trois églises. La paroisse El Salvador fut construite à la fin du XVIIe siècle (1697) bien qu'elle fût remaniée et agrandie à la fin du XVIIIe et récemment restaurée. Elle est de style baroque-mudéjar. A l'intérieur, il y a trois nefs, la centrale étant recouverte par des lambris mudé-

El Capistrano.

Tour du Río de la Miel.

jar. Nous admirerons la peinture murale de Francisco Hernández. La tour, adossée à une façade simple, est carrée bien que son dernier corps, avec le clocher, est octogonal.

L'ermitage de la Vierge des Angoisses fut construit en 1720. Il est de style baroque et ne possède qu'une seule nef intérieure. Signalons les peintures en fresque sur la voûte, encadrées dans l'école grenadine du XVIIIe siècle, réalisées par Alonso Cano et représentant les quatre Evangélistes et une Pentecôte. A l'extérieur de l'ermitage, nous trouverons un petit atrium posé sur quatre piliers.

Plage de Cantarriján.

Les falaises abritent les petites plages.

Descente à la plage du Salon.

L'église El Salvador, du XVIIe siècle,
vue depuis la plage du Salon.

Eglise San Salvador et maître-autel.

L'église saint Michel a été récemment bâtie (1977).

Entre Nerja et Maro on peut voir, depuis la N-340, l'Aqueduc de l'Aguila, construit au XIXe siècle sur le ravin de Maro. Il transportait l'eau vers la Manufacture de Sucre de Maro. Il a cinq étages d'arcs de briques superposés. Il fut construit par Francisco Cantarero, un enfant de Nerja.

A l'entrée du village nous repérerons une importante sculpture en bronze qui représente le thème mythologique de l'"Enlèvement d'Europe".

Le parcours monumental s'achèvera à la Cathédrale naturelle de la préhistoire, c'est-à-dire la Grotte de Nerja, que nous avons voulu réserver pour la bonne bouche à cause de son importance historique et de sa beauté. Elle fut découverte par cinq jeunes gens de Maro en janvier 1959 et elle fut ouverte au public l'année suivante. A l'entrée de la grotte, un monument du sculpteur Carlos Monteverde, rappelle cette découverte.

Nous prendrons, afin de nous y rendre, la N-340 en direction d'Almeria et, peu avant Maro, une courte déviation de la route nous y condulra. Nous pouvons aussl y arriver à travers la voie rapide Mala-

Ermitage de la Vierge des Angoisses.

ga-Nerja. Elle se trouve à 700 mètres de la côte, dans les derniers contreforts de Sierra Almijara. Les eaux souterraines ont creusé le rocher calcaire et formé des salles énormes, belles, avec d'étranges constructions de stalactites et des stalagmites.

Elle fut habitée depuis le paléolithique supérieur, il y a à peu près 30 000 ans. On y a trouvé des restes de l'homme de Cro-Magnon ainsi que des outils et ustensiles solutréens. Elle traversa ensuite d'autres périodes historiques, du néolithique au Chalcolithique. Elle n'est plus habitée depuis déjà 3 000 ans.

On peut partager la grotte en deux zones: celle que l'on peut visiter, d'un kilomètre de long à peu près et celle que l'on ne

Le pont de l'Aguila, ancien aqueduc.

Derrière la vieille ancre, le monument « Le Rapt d'Europe », à l'entrée de Nerja.

peut visiter et qui est presque le double. La partie que l'on peut visiter a été équipée d'un fond musical et d'effets lumineux, ce qui la rend plus accessible et attrayante.

Commençons notre visite à la Salle de la Crèche et passons ensuite à celle de la Défense d'éléphant. La Salle de la Cascade est la troisième. Elle mesure 30 mètres de hauteur et accueille les Fes-

tivals de Danse et Musique connus dans le monde entier. Chaque année, depuis 1960, ils ont lieu dans cette salle qui peut recevoir 800 spectateurs.

Viennent ensuite la Salle des Fantômes et celle des Cataclysmes. Le centre de cette dernière est occupé par une colonne formée par la fusion d'une stalactite et une stalagmite, de 18 mètres de diamètre.

On ne peut toujours pas visiter toutes les salles, quelques-unes d'une grande beauté. Citons-les: Salle des colonnes d'Hercule, Salle de l'Immensité, Salle des Niveaux, Salle de la Lance et Salle de la Montagne.

Intérieur de la grotte de Nerja.

Sur les murs de la Grotte de Nerja nous pourrons admirer d'intéressantes peintures rupestres. Signalons la Chèvre Hispanique dans la Salle des Fantômes et la biche en rouge dans celle du Cataclysme.

L'intérêt historique et artistique de la Grotte de Nerja l'a convertie en Monument historico-artistique. Nerja lui doit une grande partie de son intérêt touristique. A l'entrée de la grotte nous pouvons admirer une partie des vestiges qui ont été trouvés à l'intérieur et qui ont été aménagés dans une sorte de musée archéologique. Le visiteur trouvera, pour sa commodité, à l'extérieur de la grotte, un restaurant, une cafétéria et d'autres installations hôtelières.

Intérieur de la grotte de Nerja.

Fête de Verdiales.

Fêtes populaires

Nerja offre un large éventail d'événements culturels et de fêtes. L'année commence avec les Carnavals, ancienne tradition aujourd'hui récupérée.

Au cours de la Semaine sainte, plusieurs "pasos" processionnels parcourent les principales rues de la ville. Ils sont suivis avec une grande simplicité et une émotion contenue.

Signalons aussi les Croix de mai (le 3). Cette fête est accompagnée par deux spécialités gastronomiques ayant pour base le miel: l'"arropía" (miel cuit) et la "marcocha" (sorte de pain d'épices).

Le 15 mai, nous pouvons assister au pèlerinage de saint Isidore et admirer les charrettes décorées et les cavaliers. Cette fête, celle du patron des agriculteurs, souligne l'importance économique de ces ressources pour la ville.

Le 24 juin, le jour de la saint-Jean, est une autre journée fériée. C'est un jour de plage avec sa spécialité gastronomique: la "torta de san Juan" (galette).

On peut apprécier l'importance de la mer dans la vie de Nerja en assistant aux fêtes en honneur de la Vierge du Carmel, le 16 juillet (patronne des marins). Après avoir été portée en procession à travers les rues de la ville, la statue de la Vierge est embarquée et promenée sur la mer. On réalise aussi des régates, des compétitions sportives et des grillades de sardines sur la plage.

La foire de Nerja a lieu entre le 9 et le 13 octobre en honneur aux saints patrons: saint Michel et la Vierge des Angoisses. Sur un terrain plus strictement culturel, deux manifestations couronnent cette offre récréative: la Semaine internationale de musique et les Festivals de danse et musique qui ont lieu, chaque été, dans la Grotte de Nerja.

Gastronomie

Les bases de la cuisine de Nerja coïncident pleinement avec les essences gastronomiques de La Axarquía et de Malaga. Le premier des principes est l'utilisation de l'huile d'olive qui est produite, et d'excellente qualité, dans les contrées entourant Nerja. On retrouve de toute façon, dans la cuisine de Nerja, une série de particularités, surtout dans le chapitre des desserts. Ces caractéristiques propres proviennent en grande pa÷7rtie de l'héritage culinaire maure.

Un des plats typiques est le gaspacho soit dans ses présentations froides, tel le "zoque" et l'"ajo blanco", soit dans sa présentation chaude, le "gazpachuelo". Dans tous les restaurants et les guinguettes de Nerja, le "pescaíto frito" (petit poisson frit) est essentiel. Anchois frais, calamars et rougets sont les poissons préférés pour la typique friture de Malaga.

On mange les sardines en brochettes, une façon très particulière de les griller sur la plage, enfilées à un bambou.

Parmi les premiers plats les plus typiques, signalons les "migas" et le chevreau. On prépare celui-ci de nombreuses façons: frit, à l'ail ou en sauce d'amandes. Le chevreau est la spécialité de Frigiliana. Le "pimentón" est un autre plat typique de Nerja.

Quant aux desserts, le miel et la patate douce sont les étoiles gastronomiques de la pâtisserie. Le dessert le plus connu conjugue précisément ces deux éléments: "Batatas con miel" (patates douces au miel), façon particulière de préparer la patate, produit typique de Nerja, cuite dans du miel de canne.

Durant les Croix de mai on cuisine deux desserts simples faits de miel: l'"arropía", qui est un bonbon et la "marcocha", pop corn recouvert de miel.

Pour les fêtes de la saint-Jean on fait les célèbres "tortas de san Juan".

Et signalons plus particulièrement les vins élaborés avec les raisins de la contrée et des contrées voisines. La majorité des vins recevant l'appellation contrôlée Malaga sont produits dans les vignes de cette zone et, plus particulièrement, de La Axarquía. Bien qu'il y ait plusieurs genres de vins secs, les plus connus à niveau international sont les vins doux et, surtout, ceux du genre Pedro Ximénez, lagrima et muscat. Les vins de Cómpeta et de Frigiliana sont excellents.

Brochette de sardines.

Le typique gaspacho andalou.

Falaise de Maro.   **Crique de Maro.**

MARO

A 3 Km de Nerja, en allant vers Almería, sur la N-340, nous trouverons le petit village de Maro qui appartient à la commune de Nerja. Il a près de 800 habitants.

Ses potagers arrivent presque jusqu'à la mer en s'échelonnant en terrasses afin de détourner les difficultés du terrain montagneux.

Les criques de Maro attirent de nombreux visiteurs en été. Ceci a entraîné un accroissement du nombre de bars et de restaurants et de places hôtelières durant les dernières années. Un camping s'est installé près de Maro.

Tout près du village se trouvent la Grotte de Nerja et les vestiges de l'ancienne colonie romaine de Detunda. Le principal monument de Maro est l'église Notre Dame des Merveilles dont la construction commença au début du XVIIe siècle. Elle dut être remaniée à la fin du XIXe siècle à cause des dommages produits par le tremblement de terre de 1884. L'intérieur est constitué d'une nef avec une toiture en bois. L'extérieur est très simple, avec une tour carrée adossée à la façade.

La Manufacture de Sucre de Maro (sucrerie de Maro) fut construite au XVIIe siècle. Elle fut remaniée au XIXe siècle lorsque l'industrie sucrière se trouvait à son apogée.

Les fêtes annuelles de Mora commencent le 17 janvier, date de la fête de saint Antón. Il y a des feux d'artifices et on sort en procession la statue du saint. Le 9 septembre toute la ville célèbre la Foire des Merveilles en honneur de la sainte patronne du village.

Maro : vue partielle et église Notre Dame des Merveilles.

FRIGILIANA

Il y a tout autour de Nerja une série de villages et de parages très intéressants qui complètent les possibilités touristiques de la zone. Les villages les plus proches sont inclus dans la Route du Soleil et du Vin qui traverse Algarrobo, Sayalonga, Cómpeta, Canillas de Albaida, Torrox, Frigiliana et Nerja. On lui donne ce nom car, aux côtés de l'importance touristique de Nerja, Torrox ou Algarrobo, les villages de l'arrière-pays nous proposent un très bon vin. Les rues et les places de ces villages conservent leur configuration maure qui augmente leur charme.

Le plus proche de ces villages est Frigiliana. Nous y arriverons en prenant, dès la sortie de Nerja vers Malaga, une route de 6 Km qui nous y conduira.

Cette commune est limitée au nord par celle de Cómpeta, à l'ouest par celle de Torrox et aussi bien au sud qu'à l'est, par celle de Nerja. Elle est arrosée par l'Higuerón, affluent du Chillar, et on y cultive des primeurs et des fruits subtropicaux. Sur les terres non arrosées on trouvera surtout des oliviers et de la vigne qui donne un vin excellent dans ses variétés doux et sec.

Le chemin vers Frigiliana est bordé de nombreux lotissements occupés en grande partie par des centre-européens. Le village lui-même, situé à 435 mètres d'altitude, se trouve sur les flancs de la montagne d'Enmedia, contrefort méridional de la Sierra

Vue partielle de Frigiliana.

Rue typique de Frigiliana.

Almijara. Sa population dépasse les 2 000 habitants. Elle se trouve à 56 Km de Malaga.

Frigiliana est formée par deux centres de population reliés entre-eux: un ancien, d'origine maure et un autre, moderne, de construction récente, qui a conservé la structure d'un village andalou traditionnel. Entre les deux quartiers, nous pourrons voir deux constructions intéressantes: l'ancien "Pósito" (magasin de blé) construit en 1767 et un vieux palais seigneurial renaissance du XVIe siècle, le palais des Montijanos, aujourd'hui reconverti en fabrique de miel de canne.

Le quartier maure est un de ceux qui conserve le mieux sa structure d'origine arabe de toute la province de Malaga et même d'Andalousie entière. C'est pour cela que Frigiliana a reçu plusieurs prix d'embellissement et de conservation. Ses rues, sinueuses, pentues et pavées, conservent parfaitement la saveur de l'époque maure. Les visiteurs raffolent de cette abondance de fleurs et de plantes qui ornent les rues toujours blanches de ce petit village.

Durant notre promenade à travers le quartier maure nous pourrons admirer des carreaux de céramiques réalisés par Amparo Ruiz de Luna et dessinés par Pilar García Millán qui décorent les murs du village tout en nous expliquant l'histoire du soulèvement maure dans cette commune.

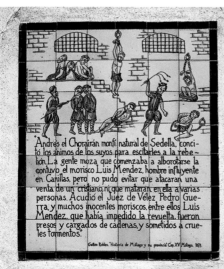

"Andrés el Chorairán monſi natural de Sedella, conci-
tó los ánimos de los suyos para escitarles a la rebe~
lión.La gente moza que comenzaba a alborotarse la
contuvo el morisco Luis Mendez, hombre influyente
en Canillas, pero no pudo evitar que atacaran una
venta de un cristiano ni que mataran en ella a varias
personas. Acudió el Juez de Vélez Pedro Gue-
rra, y muchos inocentes moriscos, entre ellos Luis
Mendez, que había impedido la revuelta, fueron
presos y cargados de cadenas, y sometidos a crue-
les tormentos."

Guillen Robles. "Historia de Málaga y su provincia" Cap. XV. Málaga. 1873.

"Y pareciéndoles que estarían mejor todos juntos en
el Peñón de Frigiliana, que era muy fuerte, y cerca
de la mar, enviaron a decir a los del fuerte de Sedella, que se viniesen a juntar con ellos; nombra-
ron por su caudillo y capitán general a Her-
nando el Darra, que tenía entre ellos opinión de
muy noble, porque sus pasados en tiempo de
Moros eran alcaydes y alguaciles de Frigiliana."

Manuel Carajal. "Rebelión y Castigo" Libro Sexto. Cap. XVI. Málaga. 1600.

Quelques rues de Frigiliana sont décorées de mosaïques qui racontent l'histoire de la ville.

La Fuente Vieja (Vieille Fontaine).

Bien que celui-ci fût son moment historique le plus important, son passé commence à la préhistoire car on y a découvert des gisements qui datent d'entre l'an 3 000 et le 1 500 av. J.-C. Il y a aussi les vestiges phéniciens du Cerrillo de las Sombras qui datent des siècles VII et VI av- J.-C. et des découvertes qui témoignent de la colonisation romaine de cette région.

Frigiliana eut une grande importance à l'époque musulmane. Durant cette période eut lieu la construction du château qui se trouvait dans la partie la plus élevée du village. On peut encore en voir les ruines.

Rues de Frigiliana.

Paroisse saint Antoine, du XVIe siècle. **Rue du quartier maure.**

En 1487, il fut conquis par les troupes des Rois Catholiques et la population d'origine maure vécut alors sous une pression continuelle. En 1569, la population se souleva, non seulement ici mais dans toute l'Axarquía et dans la contrée voisine de l'Alpujarra. La bataille principale de ce soulèvement eut lieu au Peñón de Frigiliana, le 11 juin de cette année. C'est là que s'étaient concentrés les rebelles des deux contrées, sous les ordres de El Darra. Il y eut un grand nombre de morts des deux côtés.

Plus tard, les vaincus furent expulsés d'Espagne vers l'Afrique du Nord (1609). Le château de Frigiliana fut presque totalement détruit.

Le quartier maure est traversé en longueur par la rue principale du village qui se transforme, dans le haut, en une place sur laquelle se trouve l'église paroissiale saint Antoine, construction du XVIe siècle. La Tour de l'Horloge est la partie la plus remarquable de l'extérieur de cette église alors qu'à l'intérieur nous admirerons le choeur, les objets d'orfèvrerie qui se trouvent à la sacristie et trois tableaux du XVIIe siècle. Elle a trois nefs et une toiture de lambris mudéjar.

Deux ermitages complètent notre promenade monumentale. Il s'agit de l'ermitage de saint-Sébastien, situé à la sortie du village et de celui de l'Ecce Homo qui se trouve dans le nouveau quartier. Le 20 janvier on fête le jour de saint Sébastien. Il y a aussi les fêtes des Croix de mai qui décorent les rues de Frigiliana le 3 mai.

Et enfin, entre le 11 et le 13 juin, pour la saint-Antoine, on commémore la bataille du Peñón de Frigiliana en se rendant en pèlerinage à Las Lomas de las Vacas.

Algarrobo est un autre village de la Route du Soleil et du Vin. Il se trouve à 4 Km de la côte et à 20 de Nerja. Sa population est de 4 500 habitants, nombre qui s'accroît en été avec l'affluence de touristes qui viennent profiter de la côte car Mezquitilla et Algarrobo-Costa sont devenus des centres touristiques importants.

Les monuments les plus remarquables d'Algarrobo sont l'ermitage de saint-Sébastien, récemment construit et l'église paroissiale sainte-Anne, du XVIIIe siècle. On peut voir, à plusieurs endroits du village, des gisements appartenant à l'Age de Bronze et aux époques phénicienne, carthaginoise et romaine. Signalons les parages de Chorreras et Trayamar. Les fêtes patronales d'Algarrobo ont lieu le 20 janvier, pour la saint-Sébastien. Durant l'été, il y a une foire.

Sayalonga, un autre des villages de cette Route touristique, se trouve à 6 Km d'Algarrobo. C'est un village pittoresque de 1 300 habitants, à 350 mètres d'altitude.

Deux églises se trouvent sur le parcours monumental de Sayalonga: l'église paroissiale sainte Catherine, construite au XVIe siècle et la chapelle saint Antón. Le cimetière a une structure curieuse.

Les fêtes patronales ont lieu le 7 octobre, jour de la Vierge du Rosaire. Le 15 août on célèbre aussi la fête de la Vierge ainsi que le 7 et le 8 septembre, pour la Candelaria (naissance de la Vierge).

La Molineta.

48

Les lotissements modernes arrivent jusqu'à la plage Algarrobo-Costa.
Vue partielle de Sayalonga.

Cómpeta, vue générale.

Eglise paroissiale de l'Assomption.

CÓMPETA

Un des villages les plus intéressants de la contrée est, sans aucun doute, Cómpeta. On peut y arriver par deux chemins différents: par la route de Sayalonga, à 9 Km, ou à travers Torrox. Ce village se trouve à 27 Km de Nerja.

Cómpeta se situe sur les contreforts méridionaux de la Sierra Almijara, à 650 mètres d'altitude. La commune est riche en sources et en torrents qui portent l'eau des montagnes voisines. On y admirera aussi de hauts sommets comme celui du Cisne, du Cerro Verde et du Cerro Lucero. Cómpeta, au voisinage des montagnes Tejada et Almijara, est le point de départ de nombreuses excursions et le lieu de rendez-vous de ceux qui aiment suivre les sentiers de montagne.

La production agricole par excellence est le raisin. Dans les chais de Cómpeta on peut trouver l'un des meilleurs et des plus renommés vins de Malaga.

La structure urbaine de Cómpeta est typiquement d'origine musulmane. De belles rues pittoresques et blanches ornées de fleurs et de plantes naissent sur la place principale, dite d'Almijara.

C'est sur cette place que se trouve l'église paroissiale de l'Assomption. Elle fut construite à la fin du XVIe siècle et est de style baroque-mudéjar. Sa tour est remarquable, de couleur ocre. Construite durant les dernières années du XIXe siècle et complétée en 1935, elle est de style néo-mudéjar, ornée de briques et de mosaïques. Ses belles formes stylisées singularisent cette tour devant toutes les autres de la Axarquía.

Place de l'Almijara.
Rues de Cómpeta.

Fontaine sur la place de l'Almijara.

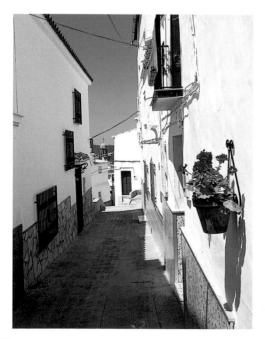

Le parcours monumental de Cómpeta s'enrichit de deux ermitages: celui de saint Antón, du XVIIIe siècle et celui de saint Sébastien, patron du village.

On dit que la commune est d'origine romaine, surtout à cause de son nom, mais aucune preuve ne vient étayer cette thèse. Elle connut une certaine splendeur à l'époque musulmane grâce à sa production agricole. Elle tomba, avec toute la province, entre les mains des troupes castillanes en 1487 et elle joua un rôle important durant les révoltes maures du XVIe siècle et dont le centre névralgique fut La Alpujarra. Le leader de la contrée de Cómpeta fut Martín Alwacín. Il fut neutre au début du conflit mais la pression de la population maure lui fit prendre la tête de la révolte. Au début, les maures connurent quelques victoires mais ils furent définitivement vaincus en juin 1569, près de Frigiliana. A la fin, la population maure fut expul-sée de ces terres au début du siècle suivant. Les fêtes patronales de Cómpeta ont lieu entre le 22 et le 25 juillet, pour la saint-Sébastien. Les autres fêtes sont le "Jour de la Croix" (le 3 mai), le jour de la Vierge (7-8 septembre) et, surtout, la "Nuit du Vin", le 15 août, lorsque Cómpeta reçoit des milliers de visiteurs qui viennent déguster le vin excellent de la contrée.

A trois kilomètres de Cómpeta, nous pourrons visiter **Canillas de Albaida**, intéressant village à structure urbaine maure qui n'accueille que 700 habitants. Sur sa place principale se dresse l'église paroissiale de Notre Dame de l'Expectation, construite entre le XVIe et le XVIIe siècle, avec sa tour en brique et en maçonnerie. Nous y trouverons, en outre, les ermitages de sainte-Anne, du XVIe siècle et celui de saint-Antón, du XVIIe. Les fêtes ont lieu le 17 janvier, pour la saint-Antón et le 7 octobre, pour la fête de la Vierge du Rosaire.

Canillas de Albaida.

Uue aérienne de Torrox.

TORROX

Torrox se trouve à 12 Km de Nerja. C'est une des communes les plus importantes de La Axarquía, avec une frange côtière qui abrite les centres touristiques de El Morche et de Torrox-Costa. Sa population est de 12 000 habitants, sans compter les mois de vacances.

L'origine du village remonte à la colonisation phénicienne mais les vestiges archéologiques les plus importants sont ceux du Faro. Il s'agit d'une colonie romaine, Clavicum, dont la chronologie se situe entre les siècles I et IV av. J.-C. L'ensemble possède des bains, une nécropole, des fours, des ruines de maisons et de "mortiers de sauces" utilisés pour

Caviclum, ville romaine à côté du phare.

la fabrication du "garum" (espèce de pâté de poisson).

Ce fut aussi un village musulman. Il y avait un château dans la partie haute du village. Torrox connut, comme

Vue aérienne de Torrox-Costa.
Promenade maritime.

Plage de Torrox et, au fond, le phare.

Nerja, une grande prospérité économique à cette époque grâce aux produits de sa campagne et à la fabrication de la soie. On dit, mais ce n'est pas prouvé, que le calife Almansour naquit à Torrox. Au XIXe siècle, le tremblement de terre de 1884 toucha aussi Torrox. Alphonse XII visita la ville et y séjourna.

Parmi ses monuments signalons l'église Notre Dame de l'Incarnation. Il s'agit d'une construction du XVIIe siècle, de style mudéjar. Les autres monuments importants sont: l'ermitage et le couvent de Notre Dame des Neiges, du XVIe siècle, l'ermitage saint-Roc, l'Hôpital saint Joseph, du XVIIIe siècle et la Sucrerie.

La fête la plus singulière de Torrox est

La plage de Torrox depuis la Promenade maritime.

celle des Migas. Elle se déroule le dimanche suivant le jour de Noël. On y déguste les vins du terroir et les célèbres "migas" de Torrox.

Eglise paroissiale Notre Dame de l'Incarnation.
Sanctuaire de Notre Dame des Neiges.

El Portil.

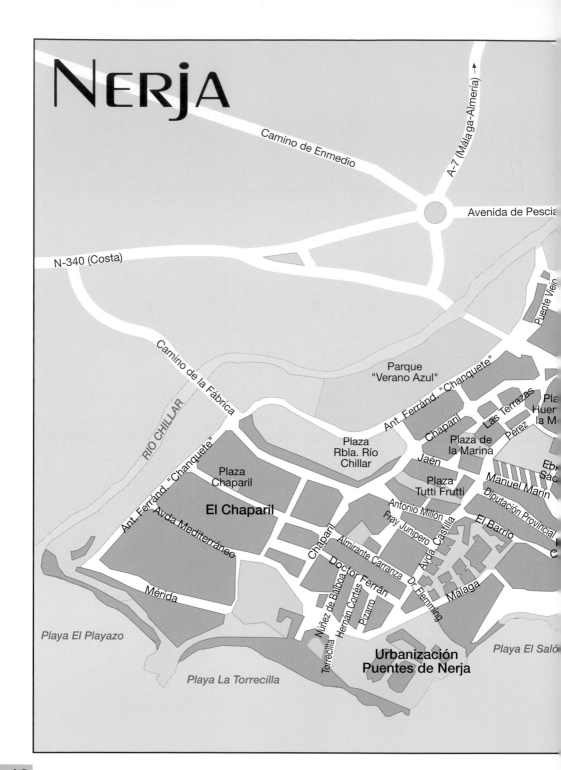

Nerja

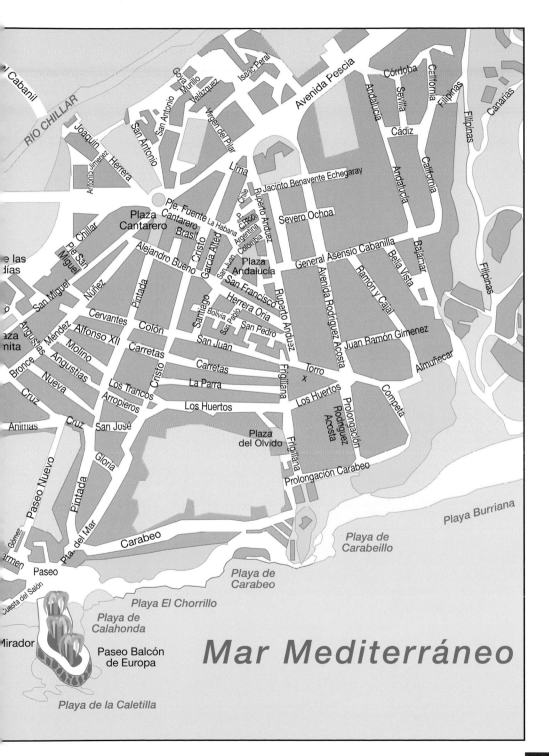

Mar Mediterráneo

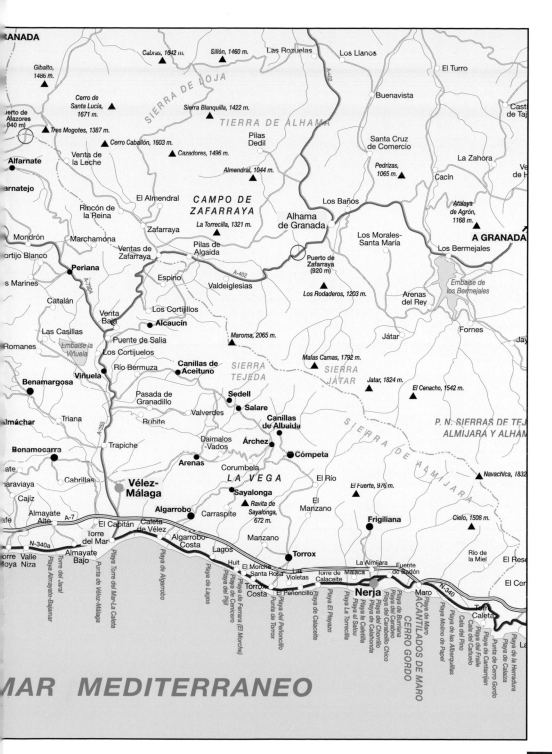

GRANADA

Cabras, 1642 m.

Sillón, 1460 m.

Las Rozuelas

Los Llanos

El Turro

SIERRA DE LOJA

Gibalto,
1486 m.

Buenavista

Cerro de
Santa Lucía,
1671 m.

Sierra Blanquilla, 1422 m.

Cast
de Taj

Puerto de
Alazores
(1040 m)

Tres Mogotes, 1387 m.

TIERRA DE ALHAMA

Cerro Caballón, 1603 m.

Cazadores, 1496 m.

Pilas
Dedil

Santa Cruz
de Comercio

La Zahora

Ve
de H

Alfarnate

Venta de
la Leche

Almendral, 1044 m.

Pedrizas,
1065 m.

Cacín

arnatejo

El Almendral

CAMPO DE
ZAFARRAYA

Los Baños

Atalaya
de Agrón,
1168 m.

Rincón de
la Reina

La Torrecilla, 1321 m.

Alhama
de Granada

Los Morales-
Santa María

A GRANADA

Mondrón

Marchamona

Zafarraya

Pilas de
Algaida

Puerto de
Zafarraya
(920 m)

Los Bermejales

ortijo Blanco

Ventas de
Zafarraya

Espiño

Valdeiglesias

Arenas
del Rey

Embalse
de los Bermejales

Periana

s Marines

Catalán

Los Rodaderos, 1203 m.

Fornes

Venta
Baja

Los Cortijillos

Alcaucín

Maroma, 2065 m.

Játar

Jay

Las Casillas

Puente de Salia

Los Cortijuelos

Malas Camas, 1792 m.

SIERRA
JÁTAR

Romanes

Embalse la
Viñuela

Río Bermuza

Canillas de
Aceituno

SIERRA
TEJEDA

Jatar, 1824 m.

El Cenacho, 1542 m.

Viñuela

Benamargosa

Pasada de
Granadillo

Sedell

Salare

P. N. SIERRAS DE TEJ
ALMIJARA Y ALHAM

lmáchar

Triana

Valverdes

Bubite

Canillas
de Albaida

Bonamocarra

Trapiche

Daimalos
-Vados

Árchez

Cómpeta

SIERRA DE ALMIJARA

ate

Cabrillas

Arenas

Corumbela

LA VEGA

El Río

Navachica, 1832

araviaya

Vélez-
Málaga

Sayalonga

El Fuerte, 976 m.

Cajíz

Ravita de
Sayalonga,
672 m.

El
Manzano

Cielo, 1508 m.

Almayate
Alte

Algarrobo

Carraspíte

Frigiliana

afe

A-7

El Capitán

Caleta
de Vélez

N-340a

Torre
del Mar

Algarrobo-
Costa

Manzano

Río de
la Miel

El Rese

rre Valle
oya Niza

Almayate
Bajo

Lagos

Huit

Torrox

La Almijara

El Cer

El Morche
Santa Rosa

Las
Violetas

Torre de
Calaceite

Malaca

Fuente
de Badén

Maro

N-340

Torrox
Costa

El Peñoncillo

Nerja

Torro
Caleta

ACANTILADOS DE MARO

CERRO GORDO

La

MAR MEDITERRANEO

Playa Almayato-Bajamar

Torre del Jaral

Punta de Vélez-Málaga

Playa Torre del Mar-La Caleta

Playa de Algarrobo

Playa de Lagos

Playa de Ferrara (El Morche)

Playa del Piji

Playa de Cenicero

Punta de Torrox

Playa del Peñoncillo

Playa de Calaceite

Playa El Playazo

Playa La Torrecilla

Playa de Maro

Playa de Burriana

Playa del Carabeo

Playa del Carabello Chico

Playa del Chorrillo

Playa de Calahonda

Playa la Caletilla

Playa el Salon

Playa Molino de Papel

Playa de las Alberquillas

Cala del Pino

Punta de Cataza

Cala del Cañuelo

Playa de Cantarrijan

Punta del Fraile

Playa de Calaiza

Playa de la Herradura

63

Índex

EDITORIAL FISA ESCUDO DE ORO, S.A.
Tel: 93 230 86 00
www.eoro.com

I.S.B.N. 978-84-378-1589-3
Imprimée en Espagne
Dépôt Légal B. 21538-2010